Spoorzoekers

Selma Noort
met tekeningen van Harmen van Straaten

Zwijsen

6

Sneeuw

'Mare! Mare!' schreeuwt Sil.
Hij rukt de deur open.
'Moet je kijken!'
Sil is de grote broer van Mare.
Mare sliep nog, ze schrikt wakker.
Ze hoort Geerten ook roepen.
Dat is haar andere grote broer.
'O! Wat mooi!' roept hij.
En papa's stem zegt:
'Dat is een tijd geleden.
Zoveel sneeuw is er al jaren niet gevallen.'
Sneeuw?
Mare gaat zitten en wrijft in haar ogen.
Het is koud boven haar dekbed.
Ze had best nog even willen slapen.
Maar ... sneeuw?
Ze laat zich uit bed glijden.
Het is erg licht achter de gordijnen.
Mare schuift ze open en kijkt naar beneden.
Sil heeft gelijk.
Er ligt sneeuw.

Het fonkelt in de zon.
Het ligt op de bomen in de tuin.
Op het tuinhek en de vuilnisbak.
Op de paden en het gras.
Alle paaltjes hebben een witte muts op.
Een vogel hipt door de sneeuw.
Hij laat sporen achter.
Mare kan precies zien waar zijn pootjes stonden.
Gelukkig hangen er pinda's buiten.
Er liggen zaadjes in het huisje.
En een appel en oud brood.
Mare heeft dat daar neergelegd voor de vogels.
Gisteren, samen met mama.
Mare staat stil en kijkt.
Alles ziet er anders uit.
Ze heeft nog nooit zoveel sneeuw gezien.
Mama komt binnen.
Mare merkt het niet eens.
In de verte loopt een poes.
Ze tilt haar pootjes hoog op.
Mare moet erom lachen.
Ze kijkt om, ze wil iemand roepen.
Om ook naar de poes te kijken.
En dan ziet ze mama pas staan.

Vlak achter zich.

Mama kijkt glimlachend naar haar.

'Kijk, zie je die poes?' vraag Mare.

'Die krijgt koude pootjes!

Mag ik naar buiten?'

'Eerst dikke kleren aan,' zegt mama.

'En een ontbijtje eten.

En dan mag het, hoor.

Weet je nog wie er vandaag komt spelen?'

Mare moet even denken.

'Welke dag is het ook weer?'

'Vandaag is het zaterdag,' zegt mama.

'Wies!' roept Mare.

'Wies komt logeren!'

Wies is haar vriendinnetje van school.

'Jullie boffen maar,' zegt mama.

'Logeren, en ook nog sneeuw!'

Ze horen papa's stem op de overloop.

'Zal ik de slee van zolder halen?'

'Ja!' roept Mare.

Geerten en Sil schreeuwen ook al door elkaar.

Mama pakt dikke kleren voor Mare.

Een hemdje, een T-shirtje en een vest.

Wollen sokken en een warme lange broek.

Mare heeft die broek nog nooit gezien.
'Die broek is niet van mij.'
Mare kijkt er afkeurend naar.
'Wat een gekke broek.'
'Dit is een skibroek,' zegt mama.
'Van je nichtje gekregen.
Die kon hem niet meer aan.
In deze broek krijg je geen natte billen.
Ook niet als je in de sneeuw valt.
En niet als je op de slee zit.
Hij mag vies worden.
En jij blijft droog en warm.'
Mama vertelt het zo goed.
En ze kijkt er zo blij bij.

'Misschien past die broek niet,' zegt Mare nog.
Maar de broek past wel.
Er zitten elastiekjes onderaan.
Die broek past haar nog jaren lang.
Ook al groeit ze zo hard ze kan.
Papa komt binnen.
'Wat een mooie skibroek!' roept hij.
Hij meent het echt.
Mare loopt de trap af.
Beneden staan Sil en Geerten.
Ze trekken aan de slee.

'Ik mag eerst,' zegt Sil.
'Nee, ik had hem!' schreeuwt Geerten.
Ze hebben ook allebei zo'n gekke broek aan.
'Zijn die ook van mijn nichtje geweest?'
Mare kijkt op naar mama.
Mama moet lachen.
'Nee, schat,' zegt ze.
'Dit zijn oude broeken van Koen.'
Koen was vroeger hun buurjongen.
Mare weet dat nog een klein beetje.
Hij was al erg groot.
Nu woont hij ergens anders.
Niet meer bij zijn vader en moeder.
'Hoeft Koen die broeken niet meer?'
'Hij past ze niet meer,' zegt mama.
'Hij is geen jongen meer.
Hij is nu een man.'

Dat willen wij niet

Er wordt gebeld.
Mare holt door de garage.
Ze trekt aan de deur.
Maar hij zit nog op slot.
'Papa!' gilt Mare.
Papa komt er al aan met de sleutel.
Hij draait het slot open.
Daar staat Wies met haar vader.
Wies heeft een rode muts op.
Een rode sjaal om.
En een gewone broek aan.
'Hier ben ik al,' zegt Wies.
Ze lacht naar Mare.
'Stamp de sneeuw maar van je laarzen.'
Wies' vader doet voor hoe dat moet.
'Wij moeten nog ontbijten,' zegt Mare.
'Ik lust nog wel wat,' zegt Wies.

Wies heeft haar vader een zoen gegeven.
En ze zwaaide voor het raam.
Nu zit ze naast Mare.

Ze heeft ook een kopje thee.
En een beschuit met jam.
Mare kijkt telkens opzij.
Het is fijn dat Wies er is.
Net alsof Mare nu een zusje heeft.
Geerten en Sil proppen hun brood naar binnen.
'Mogen we naar buiten?'
'Ga maar,' zegt mama lachend.
Papa staat op.
'Ik ga even mee,' zegt hij.

'Kijken of het goede plaksneeuw is.'
En weg is hij.
'Plaksneeuw?' vraagt Mare aan mama.
'Daar kun je ballen van maken,' zegt mama.
'Dat is sneeuw die goed plakt.
Soms heb je poedersneeuw of stuifsneeuw.
En dat plakt niet goed.
Daar kun je geen ballen van maken.'
'Sneeuwballen gooien!' zegt Wies.
Ze duikt al in elkaar.
Alsof er een sneeuwbal op haar afkomt.
'Doet dat pijn?' vraagt Mare.
'Sneeuw is toch zacht?'
'Nou ...' zegt mama.
'Een sneeuwbal niet altijd.
Die kan hard zijn, hoor.
Maar sneeuwballen gooien is leuk.
En je moet wel goed je sjaal omdoen.
Anders krijg je sneeuw in je nek.
En dat is geen pretje!'
Mama staat op.
'Ik ga ook even naar buiten,' zegt ze.
Ze laat Wies en Mare gewoon zitten.
En alle rommel staat nog op tafel.

Dat doet ze anders nooit.

Wies en Mare kijken elkaar aan.

'Zullen we even kijken bij het raam?'

Mare staat al op.

Wies neemt haar beschuit mee.

Ze lopen naar het raam.

Mama komt net naar buiten.

Ze heeft een dikke trui aan.

En een malle muts op.

Ze glibbert over het tuinpad naar de straat.

Daar vliegt iets op haar af.

Met een plof komt het tegen haar muts.

Mama gilt.

Mare schrikt even.

Maar mama gilt van plezier.

'Dat was een sneeuwbal,' zegt Wies.

Haar stem klinkt een beetje bang.

Mama bukt zich en en kneedt een bal.

Ze mikt op Sil.

Plof!

De bal spat uit elkaar tegen Sils schouder.

Mare neemt haar laatste hapje beschuit.

'Zullen wij ook naar buiten gaan?'

Wies kijkt benauwd.

'Maar ik wil geen sneeuw in mijn nek.'
'Ik ook niet,' zegt Mare.
'Ze moeten geen ballen naar ons gooien.'
'Nee,' zegt Mare.
'Want dat willen wij niet, hè?'

Sporen

Wies en Mare staan in de garage.
Ze trekken van alles aan.
Het duurt lang.
Er moet ook zo veel.
Een dikke jas, een sjaal en een muts.
Wanten met een duim opzij.
En ze hebben dikke sokken aan.
Daarom zitten hun laarzen strak.
Ze trekken en rukken.
Het gaat niet met die wanten aan.
Wanten weer uit, laarzen aan.
En de wanten weer aan.
Dan zegt Wies: 'Ik moet nog plassen.'
Haar muts zit voor haar ogen.
Haar jas zit scheef dicht.
Ze gluurt naar haar wanten.

Mare kijkt ook.

'Je kunt je jas wel aanhouden,' zegt ze.

Wies trekt haar wanten weer uit.

Ze gaat naar de wc.

De deur laat ze openstaan.

Anders past ze er niet in.

Ze is zo dik met al die kleren aan.

Het valt niet mee.

Haar jas zit erg in de weg.

En haar sjaal hangt in de wc.

Haar muts zakt nog verder voor haar ogen.

'Het gaat niet!' roept Wies.

Ze huilt half.

Gelukkig komt mama binnen.

Stampend en lachend.

'Komen jullie niet?' vraagt ze aan Mare.

Mare knikt naar de wc.

Mama kijkt om het hoekje van de deur.

'Ach, meisje toch!' zegt ze.

'Wacht maar, ik help je wel even.'

Ze trekt bijna al Wies' spullen uit.

Dan wacht ze netjes in de gang.

Wies trekt door.

Mare zucht ervan, het duurt zo lang.

Daar komt Wies weer.
Maar nu helpt mama haar.
In een wip is ze aangekleed.
En alles zit recht.
'Nou, fijn gaan spelen,' zegt mama.
Ze kijkt Wies en Mare na.
Die stappen voorzichtig op de sneeuw.
Het kraakt een beetje en het glinstert.
Het is prachtig buiten.
En het ruikt lekker fris.
De kou prikt in Mares wangen.
Ze pakt een beetje sneeuw van een tak.
Het blijft aan haar want plakken.
'Het is plaksneeuw,' zegt Wies.
Ze kijken naar Sil en Geerten.
Er is een jongen bij gekomen.
En ook nog twee grote meisjes.
En drie buurmannen spelen mee.
Ze schreeuwen en duiken weg.
De sneeuwballen vliegen in het rond.
'Kom, wij gaan hierheen,' zegt Mare.
Ze knikt naar het tuinpad.
Ze sluipen tussen de struiken door.
Nu en dan waait het even.

20

Dan stuift er wat sneeuw van de takken.
En soms valt het uit de bomen.
Met een plof op de grond.
Wies krijgt sneeuw op haar muts.
En Mare op haar neus.
Het is niet erg, deze sneeuw is zacht.
Achter het huis staat een hoge schutting.
In de schutting zit een deur.
Mare maakt de deur open.
'Oooh!' zegt Wies.
Achter de schutting ligt een schoolplein.
Niemand heeft nog op het plein gelopen.
De sneeuw is helemaal nieuw.
Ze stappen het plein op.

Mare begint voorzichtig te rennen.
Ze glijdt maar een beetje uit.
Dan durft ze wel harder.
Wies rent achter haar aan.
Ze rennen het hele plein over.
Dan pas staan ze stil.
Ze kijken om.
Ze zien strepen en stappen.
'Kijk!' zegt Mare hijgend.

'We hebben sporen gemaakt!'
Ze kijken eens goed naar hun sporen.
Wies heeft ribbels onder haar laarzen.
En Mare een balletje onder haar hiel.
De afdrukken staan duidelijk in de sneeuw.
Ze kijken rond.
'Hier,' zegt Wies.
'Nog meer sporen.'
Ze lopen ernaartoe.
'Die zijn van een vogel,' zegt Mare.
'Zullen we er nog meer zoeken?' vraagt Wies.
'Ja, goed,' zegt Mare.
'Wij waren spoorzoekers, hè?'
Ze volgen het vogelspoor tot aan de bosjes.
Dan zoeken ze een ander spoor.
Ze vinden er een.
Maar van welk dier?
'Ik denk van een hond,' zegt Wies.
Mare denkt aan vanochtend.
'Ik denk van een poes,' zegt ze.
'Kom, we volgen het spoor.'
Ze zegt het met een diepe stem.
Als een echte stoere spoorzoeker.

23

Steeds verder

Het poezenspoor gaat verder.
Eerst keurig over de stoep.
Dan de straat over.
Mare en Wies volgen het spoor.
Langs tuintjes, onder een boom door.
En dan naar een bruggetje.
Mare staat stil.
Wies botst bijna tegen haar op.
Ze kijken voorbij het bruggetje.
Daar liggen de weilanden.
Zo wit, zo wijd.
Heel in de verte een kerktoren.
In het weiland staan schapen.
Kleine donkere stippen in de sneeuw.
Boven het weiland is de lucht grijs.
De zon is verdwenen.
De wind fluit een beetje.
Sneeuw waait op van de brugleuning.
Het prikt in Mares wangen.
'Gaan we verder?' vraagt Wies.
Mare mag niet over het bruggetje.
Ze mag niet alleen de polder in.

Maar ze ziet geen tractors op de dijk.
Het is zo stil buiten.
Heel anders dan anders.
Het poezenspoor gaat over het bruggetje.
De dijk op, en de dijk weer af.
De polder in.
'Kom, vriend,' zegt Mare met haar zware stem.
'We volgen het spoor!'
'Oké, vriend.'
Wies zegt het ook met een diepe stem.

Het poezenspoor eindigt bij een sloot.
Aan de overkant staat hoog riet.
Wies kijkt naar Mare.
Er ligt ijs op de sloot.
Maar een klein beetje.
'We zoeken een nieuw spoor,' zegt Mare.
'Ja,' zegt Wies.
'Wij gaan niet over de sloot, hè?'
Ze draaien zich om en lopen terug.
Er is een fietspad in de polder.
Maar er ligt zo veel sneeuw.
Je kunt het niet goed zien.
Ze denken wel dat ze het zien.

Langs de bosjes in de verte.
Ze lopen erheen.
En ze vinden een nieuw spoor.
'Een paardenspoor!' roept Wies.
'Ja, daar zat een indiaan op!'
Mare pakt Wies' hand.
'En die moesten wij zoeken, hè?'
'Ja, want die had een drankje,' zegt Wies.
'Dat drankje moesten wij hebben.
Want jouw oude moeder ging bijna dood.
Ze was heel erg ziek.
En van dat drankje kon ze beter worden.

Kom, vriend!'
Ineens heeft ze weer een mannenstem.
Mare ploetert achter Wies aan.
De sneeuw ligt hoog op het weiland.
Ze hebben maar korte beentjes.
Maar ze volgen het spoor dapper.
Recht op de grauwe horizon af.
Het begint weer te sneeuwen.
Maar dat geeft niet.
Ze moeten Mares oude moeder redden.
Ze moeten de indiaan met het drankje vinden.
Het paardenspoor loopt verder en verder.
Er komt geen eind aan de polder.
Almaar meer wit met schaapjes.
De sneeuw is nu poederig.
Het vlaagt om Wies en Mare heen.

Het waait in krullen van ijzig poeder.
Mare en Wies houden elkaars wantjes vast.
In die wantjes zitten koude vingers.
Hun gezichtjes zijn koud.
Ze hebben ook ijskoude tenen.
Maar ze mopperen niet.
Ze zijn stoere vrienden.
Mare staat even stil.
Ze tuurt in de verte.
'Zie jij de indiaan al, vriend?'
Wies tuurt ook.
'Nee vriend, ik zie niks,' zegt ze.
En dan is ze ineens weer gewoon Wies.
'Ik heb het koud.
Zullen we naar huis gaan?'
'En mijn oude moeder dan?'
'Die werd vanzelf weer beter.'
Ze draaien zich om.
Waar was ook weer de dijk?
'We moeten ons spoor terug volgen,' zegt Wies.

Gevonden

Ze lopen heel lang.
Ze schieten niet op.
Het sneeuwt zo hard, ze zien haast niks.
Hun handen doen pijn en hun voeten.
Soms staan ze even stil.
Dan turen ze in de verte.
Daar was toch de dijk?
En de kerktoren?
Het spoor zijn ze kwijt.
Ze lopen zomaar door en door.

Wies begint zacht te huilen.
Mare schrikt ervan.
'Wil je uitrusten?' vraagt ze.
'Kom maar, dan gaan we even zitten.'
Ze gaan zitten, dicht tegen elkaar aan.
Wies' benen worden nat en haar billen ook.
Ze krijgt het nog kouder.
Haar tanden beginnen te klapperen.
Mare boft.
Zij heeft haar rare broek aan.
Daar kan ze mee in de sneeuw zitten.
En ze blijft helemaal warm en droog.

Ze moeten eigenlijk verder lopen.
Maar ze zijn te moe.
Ze zitten al een poos.
Alsof ze soms een beetje slapen.
Ze zeggen niets tegen elkaar.
Ze hebben het te koud om te praten.
In de verte horen ze de kerkklok.
Hij slaat elf uur.
Het is al koffietijd.
Mama had iets lekkers bij de koffie.
Omdat Wies kwam logeren.
Maar Mare en Wies zijn er niet.
Die zitten hier in de sneeuw.
Mare moet ineens vreselijk huilen.
'Mama,' snikt ze.
En Wies huilt hard mee.

'Maaaaaare!'
'Wie-ies!'
Stemmen in de verte.
Eerst denkt Mare dat het maar zo lijkt.
Maar dan voelt ze Wies bewegen.
Wies probeert op te staan.
Ze glibbert een beetje.

Mare krabbelt ook overeind.
Ze horen echt iets.
'Maaaaaare!'
'Wie-ies!'
Het zijn de stemmen van Sil en Geerten.
En van papa en mama.
Wies en Mare beginnen tegelijk te schreeuwen.
Heel hard gaat het niet.
Ze moeten ook huilen.
En hun stemmen zijn schor.
Maar ze zwaaien en doen hun best.
En even later zien ze iemand.
Het is papa.
Hij komt steeds dichterbij.
Achter hem rennen Geerten en Sil.
En daar weer achteraan komt mama.

Papa neemt Wies op zijn arm.
En mama draagt Mare.
Sil en Geerten schreeuwen door elkaar.
'We zijn jullie sporen gevolgd.'
'Jullie liepen een rondje'
'We waren ongerust, hoor.'
'We hebben jullie overal gezocht!'

'We zagen een vos in de sneeew.
Hebben jullie die ook gezien?'
Mare tilt haar hoofd op.
'Wij volgden een poes,' zegt ze.
'En toen een paard met een indiaan erop.'

Wies en Mare mogen samen in bad.
Een lekker heet bad met veel schuim.
Daarna krijgt Wies een droge broek van Mare aan.
Beneden staat de radio aan.
Papa maakt koffie en warme chocolademelk.
Mama warmt appeltaart op in de oven.
Sil mag slagroom kloppen.
En Mare en Wies mogen de klopper aflikken.
Geerten doet de appeltaart op bordjes.
Sil schept er slagroom op.
Mama strooit er wat kaneel overheen.
Ze zitten bij elkaar aan de tafel.
De hele keuken ruikt lekker.
Mare stoot mama aan.
'Deze broek is echt lekker warm,' zegt ze.
'Ja, die van mij lekte!' roept Wies.
Ze heeft knalrode wangen.
'Hoor de dames eens,' zegt papa.

34

'Ze krijgen weer praatjes.'

Mama lacht.

'Je moet altijd blijven bewegen,' zegt ze.

'Anders krijg je het nog kouder.'

'Nooit gaan zitten in de sneeuw.'

'Ja, dan kun je doodvriezen,' zegt Sil.

'Ho maar, Sil,' zegt mama fronsend.

'Echt waar?' vraagt Mare met grote ogen.

'Jullie niet,' zegt mama.

'Waarom wij niet?'

'Omdat wij jullie altijd meteen komen redden.'

'O, ja.'

Mare neemt een hapje warme appeltaart.

Ze kijkt naar de sneeuw buiten.

Die vlaagt langs het keukenraam.

Gelukkig is ze nu binnen.

Ze kijkt opzij naar Wies.

Die zit daar zo gezellig te eten.

Vanavond mag ze bij Mare slapen.

Samen in Mares bed.

Dat past best.

En dat is ook lekker warm.

'Vandaag was jij mijn zusje, goed?'

Mare kijkt extra lief naar Wies.

'Goed,' zegt Wies.

'En we gingen binnen spelen, hè?'

'Ja,' zegt Mare.

'Want buiten was het te koud.'

ISBN 978.90.276.7318.3
NUR 282
1e druk 2007

© 2004 Tekst: Selma Noort
Illustraties: Harmen van Straaten
Illustrator Logo ik lees! Leo Timmers
Vormgeving: Rob Galema
Uitgeverij Zwijsen B.V., Tilburg

Voor België:
Zwijsen-Infoboek, Meerhout
D/2007/1919/197